GUIDE DU MUSÉE
PICASSO ANTIBES

DANIÈLE GIRAUDY
Conservateur du musée

D1089003

HAZAN

Document de couverture : le château Grimaldi
vu depuis la mer dans les remparts de Vauban.
Photo Marianne Greenwood.

Conception graphique :
Xavier Barral
Photocomposition :
Comp'infor
Photogravure :
Sele Offset, Turin
© éditions Hazan, Paris, 1987
© SPADEM et ADAGP, Paris, 1987
Achevé d'imprimer en juin 1987
par Graficromo à Cordoue
Printed in Spain
ISBN 2 85025 128 3

Du château Grimaldi au musée Picasso 4

Picasso et la suite d'Antipolis 8

Les œuvres de la donation Picasso 16

**La céramique, la sculpture,
la gravure et la tapisserie** 50

Un musée d'art moderne 66

Au temps de l'enfant Septentrion 74

Bibliographie 80

Du château Grimaldi au musée Picasso

« Quand nous avons
commencé, on ne savait
pas ce que l'on faisait. Si
vous m'aviez dit, on fait
un musée, je ne serais pas
venu. Mais vous m'avez
dit : "Voilà un atelier".
Vous ne saviez pas ce que
vous vouliez faire ; voilà
pourquoi ça a réussi,
parce que vous n'avez pas
imité un musée. »
Picasso

En 1925, le château Grimaldi qui domine les remparts de la vieille ville d'Antibes, alors caserne du génie, est mis en vente aux enchères. Un jeune professeur de rhétorique au lycée de Cannes, Romuald Dor de la Souchère, obtient l'annulation de cette vente et l'achat du monument par la municipalité d'Antibes « à la condition d'y établir un musée ». Ainsi, en 1928, le château Grimaldi devient le musée d'Art, d'Histoire et d'Archéologie d'Antibes, et Dor de la Souchère, son inventeur, en devient le conservateur. Pendant dix ans, il reconstitue l'histoire de la cité. Il regroupe les inscriptions grecques et romaines de l'arrondissement de Grasse, des parchemins médiévaux, monnaies, armes, émaux, placards révolutionnaires, portraits, souvenirs du premier Empire... dirigeant la rénovation et le réaménagement du château qui menace ruine. Ces travaux de restauration, menés grâce au soutien de la Ville et du Groupe ligurien d'études scientifiques et archéologiques du musée d'Antibes, sont aussi soutenus par des mécènes dont le nom est gravé dans le marbre, à l'entrée des salles, et par la Caisse des monuments historiques qui classe le musée en 1927.

Deux expositions plus importantes permettent d'accroître les collections naissantes : *le Portrait d'Antibes*, en 1936, enrichit les collections par *le Retable d'Aundi*, précieux primitif retrouvé presque à l'abandon. *Le Retour de l'île d'Elbe*, l'année suivante, présente des documents relatifs à cet épisode, développé ensuite au *Musée naval et napoléonien*.

Parallèlement, le conservateur organise régulièrement des « expositions de maîtres jeunes et contemporains ».

En 1946, sa rencontre avec Picasso sur la plage, avec le photographe Michel Sima, récemment disparu, change la destinée du musée. Picasso s'est installé avec sa jeune amie, Françoise Gilot, à Golfe-Juan, où il est très à l'étroit, mais, séduit par l'offre d'utiliser une partie du château comme atelier, il est heureux de venir y travailler. Il y peint pendant six mois et laisse au musée presque tout ce qu'il réalise dans ses murs : les vingt-cinq peintures de la suite d'Antipolis et les quarante-quatre dessins qui les préparent et les accompagnent. Un an plus tard, à son retour, il ajoute un grand panneau, *Ulysse et les sirènes*. Ainsi naît le premier musée consacré à un artiste vivant : la condition, imposée par le peintre, que l'ensemble des œuvres dont il fait don ne quittent pas ce lieu a toujours été respectée. En 1948, une importante donation de céramiques tournées à Vallauris (soixante-dix-sept plats, vases, « tanagras » et animaux) s'ajoute à l'œuvre peinte et dessinée. Enfin, en 1950, Picasso offre les deux grandes sculptures en ciment réalisées à Boisgeloup en 1931, et qui ouvraient, en 1937, à Paris, le Pavillon de l'Espagne à l'Exposi-

« En 1923 (je ne me souviens ni du jour ni du mois), je pris le petit tramway électrique qui faisait la navette entre Cannes et Antibes, écrasés de soleil, silencieux... et je débouchais devant un grand bâtiment délabré, ruiniforme ; sur la porte, une affiche : "Vente aux enchères de l'ancienne caserne du génie, dit château d'Antibes"...
"Monsieur le Maire, je viens de découvrir que le château d'Antibes est à vendre, j'espère que vous allez l'acheter." Maître Ardisson, maire d'Antibes en 1923, fit à ce jeune professeur qu'il ne connaissait pas une réponse prudente : "Monsieur, je n'ai pas d'argent..."
Du directeur de l'Enregistrement du timbre de Nice, qu'il venait de convaincre de retirer le château de la vente aux enchères pour en faire un musée, il s'entendit dire : "Un musée ? C'est beaucoup trop grand. Et qu'est-ce que vous allez y mettre ? Ce n'est pas raisonnable..." »
Danièle Giraudy, *Picasso à Antibes*, catalogue, n° 1.

tion universelle. Le travail de six mois constitue le journal de l'inspiration du peintre, dont on peut suivre, jour après jour (toutes les dates figurent au dos des œuvres), le processus créateur.

Pour chaque peinture, les esquisses en couleurs, les dessins préparatoires, les croquis montrent, comme une bande dessinée, les étapes de la genèse. Des photographies de l'époque décrivent les différents états, généralement simplifiés. De récentes radiographies rendent les « dessous » très lisibles et le travail du peintre très évident. C'est sur le lieu de sa naissance le principal attrait et le grand enseignement de la suite d'Antipolis.

En 1949, pour l'inauguration officielle du musée Picasso, Marie Cuttoli, qui préside la Société des amis, enrichit les collections d'une donation de gravures suivie plus tard d'un ensemble de tapisseries. Cette amie du peintre l'avait invité cet été 1946 dans sa propriété du cap d'Antibes, Shady Rock. Elle vient en aide à Dor de la Souchère pour trouver des crédits et lui présente quelques amis, peintres ou sculpteurs qu'elle collectionne, et qu'il exposera (Ernst, Calder, Léger...).

Entraîné grâce à Picasso et à Marie Cuttoli dans l'art du XXe siècle, le musée présente, à partir de 1951, l'œuvre d'artistes importants, parfois encore peu connus : de Staël, Richier, Atlan, Magnelli, Clavé, Prassinos, Debré, Hartung ou d'écrivains liés à Antibes comme Audiberti, Kazantzaki et Prévert.

En 1950, Jean Cocteau et Henri Langlois organisent, en marge du jeune Festival de Cannes, un Festival international du film de demain qui permet de découvrir des œuvres censurées.

En vingt-cinq ans, quatre-vingt expositions enrichissent les collections de deux cents peintures offertes par les artistes. A celles-ci s'ajoutent, après 1981 et la nomination de Danièle Giraudy qui succède à Dor de la Souchère, deux cents œuvres nouvelles acquises par achat ou donation, *la Déesse de la mer* par Miró, *le Portrait de Picasso* par Modigliani, l'*Autoportrait* de Picabia, des œuvres de Nicolas de Staël peintes à Antibes, désormais présentées dans une salle permanente, dont *le Fort-Carré* et sa dernière œuvre, *le Grand Concert*, des « Picasso d'Antibes » de 1946 retrouvés dans des collections étrangères, acquis avec l'aide de l'État, de la Région, de la Ville, et soutenus par des mécènes privés.

Regrouper des œuvres d'artistes liés à Antibes comme Picasso, de Staël ou Richier, encourager de jeunes créateurs par des acquisitions régulières, et exposer les « Prix de la Ville d'Antibes », resserrer le lien entre le bâtiment et les collections par un programme de commandes (les vingt « Hommages à Picasso », les sculptures de Poirier et de Pagès), tels sont les objectifs du musée Picasso désormais ouvert aux

« L'unité de temps, l'unité de lieu, l'unité de mesure, l'unité d'inspiration confèrent à cet ensemble un caractère de résistance à la destruction. Ici, l'amour et la raison se sont associés pour vaincre l'incohérence. Ni la perception ni l'intelligence ne se trouvent offensées, et l'esprit, qui ne peut conduire des opérations simultanées, goûte dans ces salles un certain apaisement. »
Dor de la Souchère.

écoliers, avec les ateliers d'animations quotidiens, et à des handicapés, avec le jardin de Sculptures et de Parfums étiquettés en braille, sur la terrasse, ancienne acropole d'Antipolis.

Enfin, un programme de publications sur les collections du musée est édité par la Ville : une vingtaine de catalogues, des affiches, des cartes postales et des diapositives sont à la disposition d'un public nombreux et international.

La recherche aussi s'y poursuit, avec la formation des jeunes conservateurs régulièrement accueillis en stages, séminaires et journées d'études, l'informatisation des collections, l'organisation d'expositions itinérantes et les échanges établis avec les musées Picasso de Barcelone et de Paris.

En 1977, la dernière exposition de Dor rassemble, pour une *Invitation à l'oubli,* les cinquante derniers « Premiers Grands Prix de Rome ».

L'inventeur du musée Picasso, élégant et fragile comme ses tourterelles bien-aimées, sur cette dernière pirouette, s'éteint à 89 ans le 10 décembre 1977. Il avait passé cinquante ans de sa vie à polir son chef-d'œuvre, ce musée « où, avait-il écrit en 1961, on devient survivant »...

Picasso et la suite d'Antipolis

« Je peins comme d'autres
écrivent leur
autobiographie. Mes
toiles finies ou non sont
les pages de mon
journal... »
Picasso

Les mains de Picasso, Vallauris, 1954.
Photo André Villers.

9

« Si je me souvenais du château Grimaldi ! Petit musée provincial délabré lorsque je l'ai visité la première fois, il y a une quinzaine d'années, il présentait une exposition consacrée au débarquement de l'Empereur à Golfe-Juan. Quelle démonstration cocasse de l'inconstance humaine ! ... Affiches portant en gros caractères : "L'usurpateur a osé fouler le sol de la patrie !", remplacées le lendemain par celles qui proclamaient : "Français ! notre cher Empereur est de nouveau parmi nous !" et signées du même nom... En vingt-quatre heures, le monde avait tourné casaque... La puissance de l'Empereur rayonnait de ces vieilles murailles, et l'air marin qui remuait ces papiers jaunis était le souffle de cette épopée merveilleuse et navrante que furent les Cent-Jours... Et voici que Picasso chasse Napoléon du Palais Grimaldi et prend sa place... » Brassaï, *Conversations avec Picasso.*

A partir de 1920, Picasso séjourne régulièrement, l'été, entre Cannes, Monte-Carlo, le cap d'Antibes et Juan-les-Pins, avec sa première femme Olga et leur fils Paul, puis avec sa mère, dans les années trente avec Marie-Thérèse Walter, et en 1939, avec la photographe Dora Maar, sa compagne d'alors.

Déjà, à Antibes, en 1923, « passant devant le même bâtiment abandonné, il surprend des enfants qui se faufilent par un trou, dans cette ruine en pleine lumière. Il se courbe et les suit ! C'est ainsi que Picasso fait son entrée sur la scène de ce château fort mystérieux », raconte Dor de la Souchère.

En 1939, le peintre, qui séjourne à Antibes, boulevard Albert-Ier, montre à son secrétaire Sabartès depuis la terrasse de l'appartement... : « Ces tours, c'est le Palais Grimaldi. On me l'a offert pour vingt mille francs. C'est maintenant un musée. Plus loin, c'est le Fort-Carré. Nous irons nous baigner à la plage de derrière. Tu verras ces galets ! S'il n'y avait pas de brume, on découvrirait Nice d'ici. Je t'y mènerai. »

Dans cet atelier, il peint en août de cette même année, accrochée à même le mur, *la Pêche au lamparo à Antibes,* l'une de ses plus grandes toiles, aujourd'hui au musée d'Art moderne de New York, qui revint à Antibes pour un été, en 1981, pour le centième anniversaire de sa naissance. Le peintre passe à Paris les années de guerre et s'inscrit au parti communiste. Avec sa nouvelle compagne, le peintre Françoise Gilot, rencontrée en 1943 et qui a le tiers de son âge, Picasso retrouve le château Grimaldi en 1945, à l'occasion de la visite d'une exposition de dessins d'enfants organisée par le British Council.

Après l'invitation de Dor de la Souchère, lorsqu'il s'installe à Golfe-Juan chez le graveur Fort avec Françoise Gilot, Picasso, amoureux, joyeux de retrouver la Méditerranée, est frappé sur la terrasse du musée d'Antibes, ancienne acropole d'Antipolis, par la force de cet héritage antique.

C'est sous le signe de la mythologie qu'il décide de peindre des fresques au deuxième étage du château, dans une gamme claire couleur de ciel et de sable qui rompt avec les tonalités grises et brunes de la période parisienne de la guerre.

« Cette vieille tour carrée, cette terrasse qui surplombe la mer... J'y ai travaillé comme un forcené... », racontera plus tard Picasso à Brassaï. « Je n'avais rien pour faire des fresques... Peindre directement à même le mur, c'est trop risqué... Ils m'ont acheté d'abord des toiles de sac exécrables ; ils m'ont proposé aussi des toiles marouflées, des contre-plaqués... Finalement, je me suis arrêté à de grandes plaques en fibrociment. Et je leur ai peint des fresques... Je laisserai tout ça dans une salle, ils veulent en faire un "musée Picasso", je leur donnerai peut-être d'autres objets faits là-bas, des os, des galets sculptés » (Brassaï, *Conversations avec Picasso*).

« J'ai fait à Antibes ce que j'ai pu et je l'ai fait avec plaisir parce que je savais, cette fois-ci au moins, travailler pour le peuple. »

D'août à décembre 1946, il travaille, selon Dor de la Souchère, « comme un furieux ». Pour pouvoir peindre même la nuit, il a fait installer des réflecteurs. Manquant de matériel, il commande à Paris Vélin d'Arches et pinceaux. « En attendant, raconte Françoise Gilot, il est allé au port avec Sima et il fait provision de peinture pour les bateaux parce qu'il dit que ce serait solide dans un tel climat. Comme cette peinture s'emploie généralement sur bois, il décide de peindre sur du contre-plaqué et sur des plaques de fibrociment. Il achète des brosses de peintre en bâtiment et se met au travail le lendemain, dès que tout est livré » (Françoise Gilot, *Vivre avec Picasso*).

Cette inspiration mythologique, ces nouveaux matériaux et cette présentation définitive sur leur lieu de naissance sont les trois caractéristiques originales de l'œuvre d'Antibes, réalisée en quelques mois.

Vers la fin de son séjour, à court de matériel, il n'hésitera pas à choisir dans les réserves du musée quelques toiles anciennes, à ses yeux sans grand intérêt, pour les repeindre, comme l'a montré ré-

Dor de la Souchère et Picasso devant le *Triptyque*, Antibes, 1948. Photo Denise Colomb.

cemment l'équipe du musée avec le Laboratoire de recherche des Musées de France (*A Travers Picasso*, catalogue n° 4).

C'est ainsi que *le Gobeur d'oursins* recouvre le portrait du général Vandenberg, héros de la guerre de 1914 et fondateur de la Société des amis du musée d'Antibes. La *Nature morte aux volets noirs* dissimule quant à elle le portrait d'une jeune fille peint par Caroline Commanville, nièce et héritière de Flaubert, laquelle termina sa vie à Antibes. Détournements que le conservateur évo-

Françoise Gilot, Picasso et son neveu Javier Vilato sur la plage de Golfe-Juan, 1948.
Photo Robert Capa, Magnum.

Ci-contre : Picasso et Françoise Gilot dans l'atelier d'Antibes avec *la Joie de vivre*, 1946.
Photos Michel Sima.

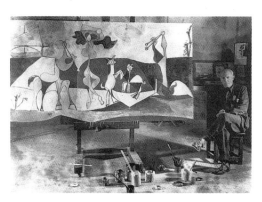

que plus tard avec humour : « Un jour, je cherchais dans les réserves, pour un hypothétique inventaire, le mauvais portrait d'un Antibois, militaire encore, appuyé sur une épée comme sur une béquille. Ne le trouvant pas, je raconte ma déconvenue à Picasso : je le vois sourire ! Manquant de toile, il l'avait gratté et remplacé par l'un des chefs-d'œuvre du musée, *le Gobeur d'oursins*... Le musée Grimaldi ne possédait que des croûtes, portraits hilares de généraux que cette ville militaire a multipliés. Un jour, Picasso entre dans la salle, ses yeux perforants font le tour du maître : "Place aux jeunes" ! J'ai compris. »

Le peintre partage ainsi son temps entre la plage le matin et la peinture au mu-

sée Grimaldi, l'après-midi et le soir, travaillant à plusieurs tableaux à la fois. Quelques amis lui rendent visite : Eluard et sa femme Nush, Prévert à qui, contemplant un coucher de soleil, Picasso aurait déclaré : « On n'a jamais peint ça : tout de même, un jour il faudra qu'on s'y mette », Marchel Cachin, Hemingway, Cocteau, Sabartès, Aragon, et, par deux fois, Matisse.

Trois thèmes principaux nourrissent l'œuvre de Picasso réalisée à Antibes : la mythologie d'abord, avec les nymphes, les faunes, les centaures, les sirènes ; l'inspiration naturaliste ensuite, avec les œuvres reproduisant le décor quotidien — si bien évoquée par le titre d'une édition à tirage limité qui devait en reproduire la plupart : *Faunes et Flore d'Antibes* (Le Pont des Arts, Paris, 1960) —, les pêcheurs, leurs poissons et les oursinades, les variations peintes et sculptées autour des deux animaux emblématiques d'Antipolis, la chèvre et la chouette ; enfin, les grandes compositions de nus, où transparaît l'héritage cubiste et cette simplification géométrique du corps féminin, dont il présente simultanément plusieurs parties comme « énumérées », sans réalisme.

Réalisées sur des plaques de contre-plaqué et de fibrociment qui ne réagiront pas au climat humide du musée, brossées avec treize couleurs glycérophtaliques — celles des bateaux de pêcheurs — qui n'ont pas bougé en quarante ans,

Picasso peignant une nature morte
sur le sol de l'atelier d'Antibes, 1946.
Photo Michel Sima.

elles mêlent parfois le crayon et le fusain. Ce charbon, celui des lampes à
arc, lui était apporté par un ami cinéaste
venu des studios niçois de la Victorine.
Ainsi, Picasso, malgré la pénurie de matériel de l'après-guerre, invente et reconstitue les outils nécessaires en les
adaptant aux nécessités du lieu.

Dans les natures mortes, Picasso se livre
aussi à des expériences novatrices, ten-
tant par exemple de dissocier le dessin
de la couleur, posée à côté du cerne, et
parfois en marge de la forme comme

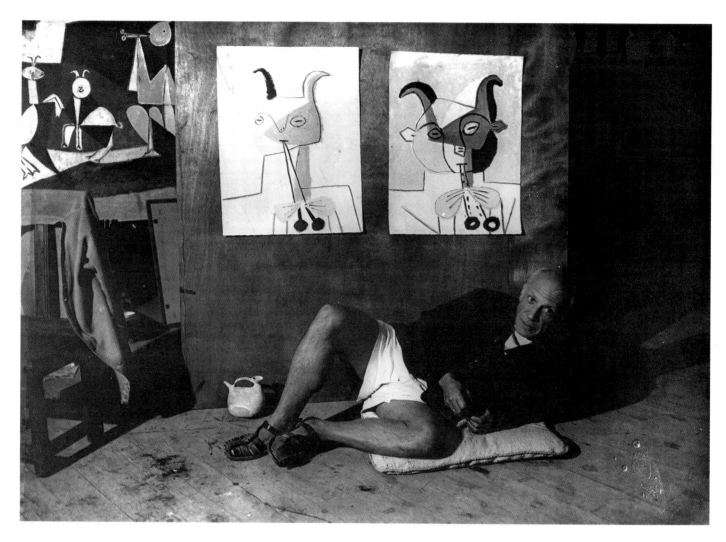

Picasso sur un coussin devant deux
faunes à côté de *la Joie de vivre*
(premier état), 1946.
Photo Michel Sima.

une ombre plate et colorée (voir *Nature
morte au compotier de raisins, à la guitare et assiette avec deux pommes*,
p. 34).

Les Clefs d'Antibes, quant à elles, sont
peintes directement sur la paroi de l'atelier du deuxième étage. Un autre nu est
peint sur verre, et le film de Paul Ha-
saerts, tourné en 1948, nous en restitue
la naissance en quelques coups de pinceaux blancs.

Les photographies de Sima, qui vient à
l'atelier chaque soir, restituent les états
successifs des peintures. Ainsi, dans *la
Joie de vivre*, le remplacement des remparts de Vauban par un ciel dégagé, la
diminution des têtes des personnages
pour en accentuer la monumentalité, la
simplification de la gamme des couleurs,
la nymphe centrale dans la plénitude de
ses courbes opposée à ses deux com-
pagnons plus statiques. Ou encore,
dans le *Triptyque au centaure*, les différents dessins « anatomiques » des personnages, rendus par la caméra infrarouge du laboratoire, qui font finale-

ment place à une épure digne de Lascaux.

Entre le 31 août et le 28 octobre, quarante-cinq œuvres sur papier préparent ou commentent les grandes peintures : onze études à l'huile et à l'encre de Chine représentent des faunes et des centaures, fermement esquissés. Seize dessins mythologiques à la mine de plomb parfois rehaussés de sanguine reprennent le thème commencé à Ménerbes dès juillet 1946. On trouve ensuite les douze études pour une figure féminine réalisées en trois jours, les 9-10-11 novembre, figures sculpturales parfois posées sur un socle. Enfin, les trois études en grisaille (fusain et peinture à l'huile) pour le *Triptyque* et trois dessins représentant des natures mortes aux oursins déclinent des variations autour de la spirale, que l'on retrouve, comme un sceau, dans de nombreux dessins. Deux peintures, retrouvées récemment et acquises par la Ville, ont réintégré le musée où elles sont nées (voir *le Centaure et le Navire*, p. 20, et la *Nature morte aux fruits*, p. 35).

On trouve la source de ces bacchanales antiboises dans une copie assez fidèle que Picasso fit à Paris, dans son atelier de la rue des Grands-Augustins, en pleine guerre, du *Triomphe de Pan* de Poussin, au Louvre. C'est la première fois qu'il s'intéresse à ces satyres et à ces nymphes, thème riche, repris, modifié et enrichi sans cesse dans la suite d'Antipolis.

L'atelier de Picasso au deuxième étage du musée. Au fond, la fresque esquissée sur le mur, 1946. Photo Michel Sima.

Françoise Gilot au Fournas, Vallauris, 1947. Photo Willy Maywald.

Les œuvres de la donation Picasso

« Un "Picasso", c'est
solide et délicat, cela pèse
et cela vole, comme ces
grands rapaces, qui se
tiennent immobiles dans
l'air ! Alors on a refait
tout le château d'Antibes
pour présenter dans le
musée Grimaldi les
"Picasso" d'Antibes.
C'est ainsi que Picasso a
été saisi par le musée
d'Antibes. »
Dor de la Souchère

Faune blanc jouant de la diaule,
1946. Glycérophtalique et fusain sur
Vélin d'Arches ocre, 66 × 51 cm.

Sur l'ensemble des œuvres offertes par Picasso à Antibes, on dispose de sources nombreuses qui permettent d'en saisir la genèse et d'en suivre l'évolution. Tout d'abord, pour la chronologie, les indications de Picasso lui-même, qui a daté et numéroté au verso presque toutes ces œuvres. Puis le livre de Françoise Gilot, *Vivre avec Picasso*, s'il a parfois des aspects de règlement de compte, est riche de renseignements sur la façon de peindre de Picasso, à l'époque de leur vie commune à Antibes. Les informations notées par Dor dans ses agendas, ses textes sur le séjour de Picasso, sont des sources irremplaçables. Également précieuses, les quatre cents photographies du sculpteur Michel Sima prises en 1946 chaque soir pendant le séjour de Picasso à Antibes. Certaines sont publiées dans son livre préfacé par Sabartès et illustrent les poèmes d'Eluard ; d'autres, précieusement conservées dans les archives du musée, nous donnent des indications sur l'évolution des œuvres et sur la manière de peindre de l'artiste. Elles renseignent aussi sur la manière de vivre et l'installation dans l'atelier, grande pièce claire sur la façade sud, le matelas de la sieste posé sur le dallage rose, une grande table avec la vaisselle des déjeuners qui voisine avec celles des boîtes et des pinceaux. La chouette en cage, celle-là même que l'on trouve dans les peintures et les dessins, est po-sée par terre entre les deux chevalets. Ces photographies montrent également les visiteurs, les amis, d'Eluard à Cocteau, de Matisse à Hemingway et Sabartès.

Outre ces sources historiques, l'étude scientifique des peintures d'Antibes, conduite en 1983 par l'équipe du Laboratoire de recherche des Musées de France, a été l'occasion d'un passionnant travail. Les prélèvements microscopiques, les radiographies des tableaux et plus de cent-soixante photographies sous différents éclairages reconstituent le travail sur les œuvres et les transformations que Picasso apportait à ces compositions, parfois travaillées simultanément.

Toutes ces sources rassemblées comme les pièces dans un puzzle permettent de reconstituer, quarante ans plus tard, pour chaque visiteur du musée, l'histoire du séjour de Picasso à Antibes.

Les « Picasso d'Antibes », réalisés en 1946 sous les combles du château Grimaldi qu'ils ne devaient plus quitter et dont ils changèrent le nom, tiennent une place très particulière dans l'œuvre de l'artiste, un Picasso de soixante-cinq ans, amoureux, bientôt père à nouveau, en pleine puissance créatrice.

Après les compositions austères de la période de la guerre, que Picasso a passée à Paris dans l'atelier de la rue des Grands-Augustins, entre les natures mortes grises aux casseroles vides, les

Tête de faune gris, 1946. Huile et crayon Conté sur Vélin d'Arches, 66 × 51 cm.

Faune jaune et bleu jouant de la diaule, 1946. Huile, glycérophtalique et fusain sur Vélin d'Arches, 66 × 51 cm.

Le Centaure et le Navire, 1946.
Huile et glycérophtalique sur
papier, 50 × 65 cm. Retrouvé et
acquis en 1985.

Picasso devant l'esquisse de *la Joie
de vivre, le Centaure et le Navire*,
1946. Photo Michel Sima.
Cette photographie a été
déterminante pour la recherche de
l'œuvre.

compositions pauvres d'arêtes de poissons et de crânes, les portraits tragiques de la *Femme qui pleure*, cette Dora Maar aiguë, brossée dans les gammes stridentes — vert vif, violet, rouge écarlate, jaune citron —, c'est une palette solaire qui envahit l'œuvre d'Antibes, couleur de sable et de mer, mariée au vert mousse et aux ocres : la palette cubiste y épouse les couleurs de la Méditerranée dans ce retour dionysiaque à la nature.

Mais c'est la *Femme-Fleur*, la femme qui danse, une Françoise Gilot de vingt ans qui vient habiter ces nouvelles peintures où les contrastes violents disparaissent. Le rouge en est absent. Mis à part quelques toniques pour le corail des oursins, il est remplacé par un rose très doux, rarement employé depuis le début du siècle, et qui revient parfois enrichir les compositions.

Certaines d'entre elles sont très simplifiées, traitées en panneaux décoratifs monumentaux dont Picasso avait très envie après les petits formats de la guerre. Il avait souhaité venir au musée Grimaldi pour peindre des murs : ces œuvres sont d'un dessin noir linéaire sur un fond largement peint de blanc, comme chez Matisse (son interlocuteur privilégié) en sa chapelle de Vence, presque à la même époque.

Ce qui est nouveau encore dans cette palette, c'est sa réduction : les vingt-quatre tableaux et les quatorze œuvres sur papier sont réalisés avec les mêmes treize couleurs, mélanges pigmentaires utilisés le plus souvent en grande surface avec de larges aplats, qui, sans aucune modulation, occupent le fond des compositions. Or les photographies de l'atelier ne montrent ni tubes, ni palette, mais des boîtes, et divers témoignages regroupés (Françoise Gilot, Michel Sima, Dor de la Souchère) confirment les analyses récentes du Laboratoire des Musées de France. Il s'agit de peintures pour bateaux que Picasso achète en boîtes, avec des pinceaux plats du genre queue-de-morue, au lieu des brosses traditionnelles. Ce matériau liquide l'amène à travailler souvent au sol, ce que montrent aussi les photographies. Parfois, le dessin est directement repris à frais dans la couleur, rapide enluminure de fusain ou de crayon qui noircit son sillage en le creusant.

Picasso et *la Joie de vivre*, 1946.
Photo Michel Sima.
On aperçoit encore, sur le premier état de la composition, les remparts de Vauban qui abritent le château.

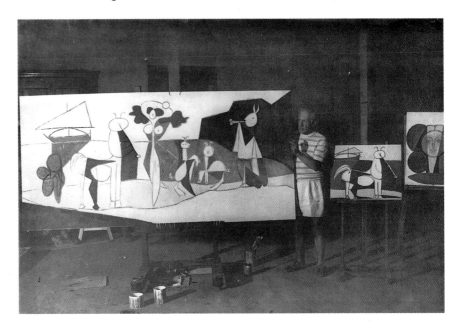

« Chaque fois que j'arrive à Antibes... je suis repris par cette antiquité. Avant, j'avais fait des centaures, des satyres ; à Ménerbes, j'en avais fait beaucoup, mais je n'étais pas venu à Antibes depuis des années... Les œuvres naissent selon les moments, les lieux, les circonstances. Tout est point de départ. On avale, on s'intoxique. »
Picasso à Dor de la Souchère, 1956.

La Joie de vivre ou *Antipolis*, 1946.
Huile et glycérophtalique sur
fibrociment, 120 × 250 cm.
Dans l'état définitif, le ciel occupe
tout le fond de la composition. Les
têtes des personnages, diminuées,
leur donnent un caractère
monumental.

*Nymphe debout s'étirant, faune
agenouillé de profil*, 1946. Mine de
plomb sur Vélin d'Arches,
51 × 66 cm.

*Faune assis de profil jouant de la
diaule, nymphe assise au tambourin,
grande chèvre debout*, 1946. Mine
de plomb sur Vélin d'Arches,
51 × 66 cm.

« Des personnages de la mythologie classique, il semble que Picasso ait retenu surtout ceux qui paraissent incarner, en permanence, une métamorphose : le Minotaure, les centaures, les faunes. Lui-même en constante métamorphose. Puisque jamais il ne se pétrifie en un style, il se plaît à métamorphoser ce qui tombe à sa portée, ou dans le champ de son regard... Qu'il transforme dans l'immédiat ou se fasse le témoin des aventures et des changements que vivent ses personnages, c'est la même impossibilité qui se manifeste d'accepter d'un être ou d'un objet quelconque qu'ils soient donnés une fois pour toutes. »
Michel Leiris, *Picasso et la Comédie humaine*, Verve, 1954.

Faune assis de profil jouant de la diaule, nymphe dansant debout au tambourin, centaure barbu au trident, 1946. Mine de plomb sur Vélin d'Arches, 51 × 66 cm.

Faune debout jouant de la diaule ; nymphe assise au tambourin et au compotier de fruits, et centaure barbu au trident, 1946. Mine de plomb sur Vélin d'Arches, 51 × 66 cm.

Tête de faune en grisaille avec trois figures marginales, 1946. Glycérophtalique blanche et fusain sur papier bistre, 43,5 × 47,5 cm.

Tête de faune en grisaille, 1946. Glycérophtalique blanche et fusain sur papier d'emballage beige et froissé, 50 × 56 cm.

Centaure au trident et deux têtes de faunes, 1946. Glycérophtalique blanche et fusain sur papier bistre, 48,5 × 43,5 cm.

Quant aux supports, ils sont, eux aussi, tout à fait originaux : contre-plaqué marine pour les natures mortes aux oursins et les portraits, et panneaux préfabriqués de fibrociment (amiante-ciment de 120 cm par 250 cm) qui seront regroupés en triptyque horizontal (*Ulysse*), vertical (*Triptyque au centaure*) ou utilisés seuls dans la *Nature morte à l'aiguière*, le *Nu au lit blanc* ou *la Joie de vivre*. Pour ce choix très singulier, deux motivations. La première est née d'une contrainte : la pénurie de ces années d'après-guerre rendait très difficile l'approvisionnement en châssis, toiles, et clous pour les tendre. Une correspondance de l'époque (publiée en 1971, dans la *Revue de l'Art*, nº 12) entre Matisse à Nice, Camoin à Saint-Tropez, et Bonnard à Cannes, montre les difficultés des trois amis pour se procurer de la toile de lin. Aubaine quand de vieux draps peuvent être partagés ! L'on conserve aussi précieusement les semences d'un châssis à l'autre ainsi que les tubes vides, dont le métal, quasiment consigné, est devenu introuvable.

La deuxième raison de ce choix est climatique. Dans ce musée humide en figure de proue sur la mer, torride l'été, glacial sous le vent d'est l'hiver, il est soucieux de trouver des supports stables et comme déjà « acclimatés » : celui des bateaux de pêcheurs — le bois —, et celui des habitations — le fibrociment.

La Chèvre, 1946. Huile et crayon
Conté sur contre-plaqué,
120 × 150 cm.

28

Ce monde magique de l'enfance familier à Picasso, qui garde un œil neuf devant tous les êtres, l'entraîne devant chaque sujet en connaissant toutes les transformations subies au fil de l'histoire de l'art, mais lui permet de réinventer des formes neuves qui ne doivent rien au passé, pour traduire sa propre émotion : « Je ne cherche pas, je trouve ».

Triptyque. Satyre, faune et centaure au trident, 1946. Huile et fusain sur fibrociment, 248,5 × 360 cm.

« Son premier geste, en entrant, fut pour dessiner sur le mur trois figures géométriques, qu'il appela *les Clefs d'Antibes*! Laissons Picasso dans cette grande salle... On ne conçoit pas Picasso dans un état de langueur ; le travail a été la grande affaire de sa vie, sa préoccupation unique ; l'amour n'a été pour lui qu'une stimulation.

Il est parti en décembre, chassé par le froid. C'est charmant Antibes, l'été ; cette lumière chaude comme des pattes de tourterelle, cette odeur subtile, à laquelle on s'habitue jusqu'à ne plus pouvoir s'en passer : mélange du parfum équivoque des orangers et d'un relent de pourriture organique ; mais l'hiver est intolérable dans ce château balloté par les tempêtes du vent de l'Est.

Picasso, comme les évêques d'Antibes, émigra vers les horizons riants et calmes de la campagne de Vallauris. L'année suivante, tout était comme il l'avait laissé : les grandes plaques de fibrociment, fragiles comme du verre, les contre-plaqués sonores, une grande toile, qu'il avait trouvée dans la réserve, grattée, recouverte, transfigurée : *le Gobeur d'oursins*! Tous alignés, face au mur, dos tournés.

Je lui dis : "Picasso! On ne peut pas laisser tout cela sans le montrer!" »
Dor de la Souchère.

La peinture industrielle qui les recouvre est une résultante logique. Venu pour peindre sur les murs, il abandonne ce projet après les trois visages géométriques des *Clefs d'Antibes*, devant l'humidité de la paroi. On ne peut que constater aujourd'hui l'excellence du raisonnement et son intelligente et économe adaptation au milieu. Il est prudemment assorti d'une clause de donation interdisant à la Ville le prêt des peintures — qui n'ont donc jamais voyagé et sont en parfait état. « Elles resteront à Antibes, et si on veut les voir, il faudra y venir. »

Le sculpteur Michel Sima, élève de Zadkine, connaissait Picasso depuis longtemps, grâce au poète Robert Desnos. De retour de déportation, il habitait à Cannes chez son ami Dor, qui lui proposa de travailler au musée, dont il espérait faire une sorte de villa Médicis. C'est Sima qui, retrouvant Picasso dans le Midi, l'amène au château et lui présente Dor. Le musée est fermé depuis 1939. Les traces de la dernière exposition napoléonienne sont encore visibles au premier étage : mannequins en uniformes, armes, affiches et décrets impériaux exposés pour *le Retour de l'île d'Elbe* (1937). Les murs portent, écrits, les textes historiques des suppliques des consuls d'Antibes. Se succèdent la salle des Privilèges (accordés par Charles X à cette ville royaliste), la salle des Plans et Fortifications de Vauban, la salle d'Aguillon vouée à la restauration de l'aqueduc romain, sur lesquelles s'était déposée la poussière des années de guerre. Au deuxième étage s'entassent les traces d'un quart de siècle de travaux archéologiques : moulages, amphores, transcriptions, archives historiques et collections entassées après les trois expositions d'art et d'histoire à la suite desquelles artistes et collectionneurs antibois ont laissé des œuvres ou des portraits de famille qui forment en quelque sorte les réserves du musée.

Dor semble avoir été comme « frappé sur la tête » par la rencontre avec Picasso. Il part pour Paris plusieurs jours, laissant aux deux artistes la clef de l'atelier, et son fidèle Pierre au rez-de-chaussée écartant les importuns.

Essayant de se procurer du plâtre pour faire un moulage de « la pierre phallique » grecque qui se trouve aujourd'hui en face de *la Joie de vivre* et dont le triple hommage priapique enchantait Picasso, les deux amis vont jusqu'à Cannes chez un fournisseur pour le bâtiment, Lanteri, boulevard d'Alsace, où ils découvrent les neuf plaques de fibrociment qui deviendront le *Triptyque*, *Ulysse*, peint en 1947, *la Joie de vivre*, le *Grand Nu* et la *Nature morte à l'aiguière*.

La première peinture, sur laquelle Picasso travaille plusieurs semaines, est *la Joie de vivre*. Il la baptise ainsi, reprenant le titre matissien, car elle symbolise des moments heureux de leurs vacances

Les Clefs d'Antibes, 1946. Graphite
sur la paroi de l'atelier du deuxième
étage du musée, 106 × 253,5 cm.

La Femme à la résille, dite
aussi *la Femme aux
cheveux verts*,
1949-1956. Lithographie
originale en couleurs,
quatrième état,
66 × 50 cm.
Françoise Gilot inspire la
plupart des œuvres de
cette période, quels que
soient les moyens
d'expression de l'artiste.

à trois sur la plage de Golfe-Juan. Picasso et Gilot y ont loué au vieux graveur de Lacourière, Louis Fort, une petite maison aux papiers peints fleuris et rayés assez inconfortable et laide, mais où ils se trouvent heureux, et c'est sur la plage voisine quasi déserte qu'ils se baignent. Deux enfants gambadant sur le sable deviendront les chevrettes, le trio Picasso, Sima, Gilot sera transformé en faune, nymphe et centaure. Au dos de l'œuvre, Picasso écrit *Antipolis* et date 1946, en signant d'une tête de faune.

C'est sur cette même plage qu'ils choisissent des galets à sculpter exposés pour la première fois en 1981, à Antibes. D'autres proviennent de la plage de la Gravette au pied du Fort-Carré. Ceux de Picasso, gris et ovoïdes, deviennent faunes, ceux de Sima sont des tessons roulés par la mer, dont il entaille la partie vernissée en gravure d'épargne. Ensuite, on déjeune chez Tétou sur la plage, ou chez Marcel à Golfe-Juan, au Bar de la Marine, avec des amis de passage : Paul Eluard souvent, avec Nush, Jacques Prévert, qui vient de Saint-Paul, Marcel Cachin, Ernest Hemingway, et à quelques reprises des marchands américains ou français (Pierre Loeb). C'est aussi sur cette plage, chaque jour nettoyée par un prisonnier allemand, qu'ils manquent de sauter sur une mine : Sima empêche de justesse Picasso de toucher à cette étrange assiette alors qu'ils ramènent les boîtes de

conserve vides qui allaient servir à préparer les couleurs.

Le grand panneau décoratif du *Triptyque* est comme l'aboutissement décanté de la composition pour *la Joie de vivre*. Le format du fibrociment est renversé verticalement et triplé, chacun des personnages largement dessiné en noir sur le fond blanc occupant seul l'espace. Le *Faune* et le *Centaure* ont interverti leurs places, la nymphe centrale est remplacée par l'une des deux chevrettes de *la Joie de vivre* qui gambade entre eux. Les trois esquisses peintes en grisaille les 16 et 17 octobre sur papier bistre en montrent l'ébauche et, déjà, la volonté simplificatrice. Le *Centaure* a immédiatement trouvé sa forme, construit sur la perpendiculaire du buste puissant et des épaules au trident. Le *Faune*, comme le montrent trois états photographiques de Sima et les photographies à l'infrarouge du laboratoire, est d'abord allongé, mais se réduit ensuite, probablement après l'exécution du *Centaure*. Les seize études pour *la Joie de vivre* si librement exécutées à la mine de plomb le 31 octobre et le 1er novembre montrent, dans le format horizontal des feuilles d'Arches, la mise en place des principaux personnages et des figurants, chèvres et chevreaux, les variations sur leurs attributs : diaule, trident, tambourin, panier de fruits, poisson, oursins. Le décor n'existera que sur la peinture définitive, la frange de la va-

Tête de femme au chignon, Vallauris, 1953. Lithographie originale en noir et blanc, crayon, 65 × 43 cm.

Nature morte au compotier de raisins, à la guitare et assiette avec deux pommes, 1946. Huile, glycérophtalique et fusain sur contre-plaqué, 95 × 175 cm.

« J'ai le malheur — et probablement le plaisir — de me servir des choses selon ce que me dictent mes passions. Quel triste sort pour un peintre qui adore les femmes blondes que de devoir s'abstenir d'en mettre dans un tableau parce qu'elles ne vont pas avec la corbeille de fruits ! Quelle abomination pour un peintre qui déteste les pommes de devoir en utiliser tout le temps parce qu'elles vont si bien avec la nappe. Dans mes tableaux, je mets tout ce que j'aime. Tant pis pour les choses, à elles de s'en accommoder. »
Picasso cité par John Berger.

gue dans laquelle ils dansent sur le dessin leur suffit : à droite, le rempart d'Antibes fortifié sera remplacé par le ciel clair, et sa masse sombre — encore visible derrière les bleus — a été fixée par Sima. A gauche, un bateau à voile latine crée, derrière le centaure, un second plan qui a, lui aussi, évolué. Toute la composition pyramidale est centrée autour du tambourin de la danseuse, la seule touche exactement blanche de l'œuvre, dans les dégradés bleus du ciel.

Les six faunes verticaux peints avec les mêmes couleurs, sur papier, du 31 août au 14 octobre, sont probablement la phase intermédiaire entre la bande dessinée des études à la mine de plomb et la peinture définitive, puisqu'une photographie de Sima montre deux faunes sous lesquels Picasso est couché, datés du 14 octobre, voisins d'un état intermédiaire de *la Joie de vivre*.

Pour le *Nu gris sur fond vert*, les photographies anciennes ne nous montrent qu'un seul repentir. Lourd volume peint en camaïeu sur un fond monochrome, il est cézannien dans son traitement du corps « par le cylindre, la sphère et le cône ». Les douze dessins préparatoires à la plume datent du 8 au 14 novembre. Étranges, ils sont plus proches des structures filiformes de la période surréalisante de Dinard, évoquant certains mobiles que Calder faisait à la même époque. Les *Nus*, dessinés d'un seul trait,

Ces trois esquisses pour la peinture ci-contre montrent les étapes d'une mise en géométrie des formes, que la peinture traduit ensuite en juxtaposant, sans les mêler, le dessin et la couleur.

Nature morte aux fruits, 1946. Glycérophtalique et crayon Conté sur Vélin d'Arches, 66 × 51 cm.

Nature morte au compotier de raisins, 1946. Peinture à l'huile sur papier, 50,5 × 65,5 cm.

Nature morte aux trois citrons, au compotier de raisins et à la bouteille, 1946. Huile, glycérophtalique et fusain sur Vélin d'Arches, 66 × 51 cm.

« Quand on part d'un portrait et qu'on cherche par des éliminations successives à trouver la forme pure, le volume net et sans accident, on aboutit fatalement à l'œuf. De même, en partant de l'œuf, on peut arriver en suivant le chemin et le but opposés au portrait. Mais l'art, je crois, échappe à cet acheminement trop simpliste qui consiste à aller d'un extrême à l'autre. Il faut pouvoir s'arrêter à temps. »
Picasso, 1932.

Études de chouettes, visages et oursins, 7 novembre 1946. Crayon Conté sur Vélin d'Arches, 51 × 66 cm.
On peut remarquer différents états du visage de *la Femme aux oursins* (voir p. 45).

« Pablo aimait à s'entourer d'animaux et d'oiseaux. Il n'étendait pas jusqu'à eux la suspicion qu'il manifestait à l'égard de ses amis. Alors qu'il travaillait encore au musée d'Antibes, Sima lui avait donné un petit hibou découvert dans le jardin du musée. Une de ses pattes avait été blessée. Nous l'avons pansée et la plaie s'est peu à peu refermée. Nous lui avons acheté une cage et l'avons ramené à Paris, où il est allé rejoindre à la cuisine les canaris, les pigeons et les tourterelles. »
Françoise Gilot, *Vivre avec Picasso*.

Picasso et la chouette à la patte blessée, 1946. Photo Michel Sima.

sont réduits à une masse ovoïde posée en équilibre sur deux ou trois socles géométriques comme de fragiles sculptures.

La seule œuvre pour laquelle nous n'avons gardé aucun dessin préparatoire est, avec la *Nature morte à la pastèque*, l'étonnant *Nu couché* peint sur fibrociment, dont la stylisation est aussi cubisante que celle du *Nu assis*. Mais contrairement à l'immobilité sculpturale du second, il est remarquable par la vision simultanéiste du corps dans sa torsion : les fesses, le ventre, le sexe de face semblent s'enrouler sur eux-mêmes comme si le modèle se retournait sur le lit, pendant qu'un mouvement s'ébauche à l'inverse dans la spirale du visage entraînant celle des bras, terminée par le triangle des seins, eux aussi représentés à la fois de face et de profil (Matisse sera très étonné par ce *Nu*, raconte Gilot,

et en fera plusieurs croquis, publiés récemment par Pierre Schneider).

Ce qui est admirable dans cette série d'Antibes, c'est à la fois son étonnante unité d'inspiration, et la diversité des solutions stylistiques, avec des moyens d'expression chaque fois nouveaux. Préparé par de nombreux dessins, libres, cursifs, rapides et comme sténographiques, le travail de Picasso se dépouille de plus en plus au fil des jours de l'anecdote pour tendre vers des thèmes intemporels et comme classiques.

Sur bois, les deux *Pêcheur* sont peints le 3 novembre et *la Femme aux oursins* est exécutée trois jours plus tard (le *Gobeur d'oursins* les suit de dix jours). La marchande qui servit de modèle à Picasso est décrite par Gilot, et les stylisations successives du visage, en vignettes autour des dessins pour la *Chouette* du 7 novembre, permettent à nouveau de suivre la pensée de l'artiste (voir p. 36-37).

Là encore les trois états photographiques pris par Sima se lisent comme à travers la couche picturale, confirmés par l'étude à la vidéo de Christian Lahanier (*A travers Picasso*, catalogue n° 4). Dans cet ensemble si singulier dans l'œuvre de l'artiste, une exception par le matériau et par la taille : les huit peintures sur toile. Malgré les dessous clairs qui montrent une surface grattée puis repeinte au blanc de zinc (alors que les dessous des autres peintures sont à la

Ci-contre : *Nu assis sur fond vert*,
1946. Huile et glycérophtalique sur
contre-plaqué, 165 × 174,5 cm.

En haut : *Nu couché au lit blanc*,
1946. Huile sur fibrociment,
120 × 250 cm.

En bas : *Nu couché au lit bleu*, 1946.
Huile et fusain sur bois,
100 × 210 cm.

Ci-contre : *Pêcheur assis à la casquette*, 1946. Huile sur contre-plaqué, 106,5 × 82 cm.

Page de gauche : *Pêcheur attablé*, 1946. Huile et glycérophtalique sur contre-plaqué, 95,5 × 81 cm.

La radiographie du *Gobeur
d'oursins* laisse percevoir le portrait
du général Vandenberg (1858-1977),
né à Antibes, fondateur de la Société
des amis du musée.

Le Gobeur d'oursins, 1946. Huile et
fusain sur toile réutilisée,
130,5 × 81 cm.

« Le soir, en arrivant à l'atelier, il
prit une toile, la seule dont il dispose, et commença à peindre un panier, des oursins, un morceau de
pain, un couteau et une bouteille de
vin, couverte d'un verre renversé
sur le goulot. Ensuite, il a peint
d'autres oursins d'une autre façon,
les faisant servir de complément à
d'autres sujets, et quelques jours
après, précisément celui de mon départ, il commença à préparer une
toile dont les dimensions lui sem-
blaient convenir au *Gobeur d'oursins*... Quand je lui demandai pourquoi la vue des oursins l'avait tant
intéressé, il répondit : "Ni beaucoup, ni peu. Comme n'importe
quoi. Ce n'est pas ma faute si je les
ai vus. Si je les avais eus dans ma
pensée, peut-être ne les aurais-je
pas remarqués, même s'ils s'étaient
trouvés devant moi. La vue se plaît
dans ce qui la surprend. Si tu pré-
tends voir ce que tu as devant toi, tu
es distrait par l'idée qui occupe ta
pensée". »
Jaime Sabartès.

La Femme aux oursins, 1946. Huile sur contre-plaqué, 119 × 83 cm.

« Nous déjeunions presque chaque jour chez Marcel à Golfe-Juan. Il y avait, à côté, un étalage de fruits de mer. (...) Mais nous étions en octobre, et la seule personne que l'éventaire intéressât vraiment était la propriétaire. Elle était si grosse et son café si étroit qu'elle arrivait à peine à s'y tenir. (...) Elle mesurait à peine un mètre cinquante, était aussi large que haute, et dans un encadrement de petites boucles acajou présentait des traits guignolesques, juste dégrossis à la serpe, avec un drôle de petit nez en trompette, sous la visière d'une énorme casquette d'homme. Souvent, tandis que nous déjeunions, nous pouvions la voir faire les cent pas, portant d'une main un panier d'oursins et brandissant de l'autre un couteau pointu, à l'affût du client. (...)

La Femme aux oursins a été commencée de manière réaliste. Tout dans le portrait était reconnaissable, le nez retroussé, les bouclettes, la casquette et le grand tablier sale. Puis, quand le dessin fut achevé, Pablo supprima chaque jour un nouveau détail, jusqu'à ce qu'il ne reste plus qu'une forme simplifiée, presque verticale, avec l'assiette d'oursins pour rappeler l'origine de son inspiration. »
Françoise Gilot, Vivre avec Picasso.

La Femme aux oursins, 1946, premier état.

Nature morte au citron vert, aux deux poissons et aux deux murènes, 1946. Huile, crayon Conté et fusain sur Vélin d'Arches, 66 × 51 cm.

Nature morte au citron vert (à gauche), aux deux poissons et à la murène sur fond gris, 1946. Huile et fusain sur toile, 38 × 55 cm.

Nature morte aux volets noirs, avec citron, murène, rougets, seiche et trois oursins, 1946. Huile sur toile réutilisée, trouvée dans les réserves du musée et représentant initialement la *Jeune Femme à la capeline*, peinte par Caroline Comanville, nièce de Flaubert, 60,5 × 73,5 cm.

Ulysse et les sirènes, 1947. Huile
et glycérophtalique sur trois
panneaux de fibrociment,
360 × 250 cm.

Qu'il s'agisse de grandes
compositions ou de petits dessins,
Picasso énumère ses formes,
réduites à des signes simples,
métaphoriques (le bateau d'Ulysse
ci-contre).

chaux), les bords des toiles sous les clous du châssis présentent les traces de plusieurs couches de peinture très différentes. Les revers aussi sont très anciens ; bref, quelque chose de plus complexe nous intriguait, qui justifiait une étude radiographique. Elle dépassa notre attente : le *Gobeur d'oursins,* la *Nature morte aux volets noirs,* le *Bouquet de fleurs* recouvraient trois tableaux plus anciens, d'une autre main. Parfois, Picasso passe une première couche de blanc sur la peinture (les deux *Nature morte au citron vert,* le *Gobeur d'oursins,* la *Nature morte aux volets noirs*). Parfois, il la retourne et travaille à l'envers (*Nature morte aux deux seiches et aux deux poulpes*). Ou bien il contre-colle une feuille de papier et se sert de la toile sur châssis pour son élasticité : c'est le cas du *Vase de feuillage* dont l'envers raturé laisse néanmoins apparaître la signature originale de Carlos Reymond, exposant de la première manifestation d'art moderne en 1928. Son *Petit Pont,* que l'on devine sur la radiographie, figure sous le n° 114 du premier catalogue rédigé par Dor, à l'ouverture du musée.

Picasso, à court de matériel, s'est simplement servi dans les réserves voisines. Les radiographies ont été spectaculaires en nous rendant à nouveau, après trente-six ans, l'image d'un *Portrait du général Vandenberg* sous le *Gobeur,* d'une *Jeune Fille à la capeline,* renversée, sous la *Nature morte aux volets noirs.*

L'histoire nous a souvent révélé des repeintures successives : les culottiers des papes rhabillaient les anges, et quand la vertu redevenait à la mode, les seins qui avaient charmé des yeux moins prudes. Les peintres ont parfois eux-mêmes utilisé à quelques années d'intervalle des toiles remaniées ou complètement repeintes, moins souvent l'œuvre d'un autre artiste, qu'ils recouvrent, qu'ils transforment ou qu'ils détruisent.

Régal incestueux que Picasso (là encore précurseur ?) s'est offert. Cette coquette *Jeune Fille à la capeline* est aujourd'hui cachée derrière des jalousies noires, un oursin dans la bouche, une murène autour du cou, et ce pêcheur aux pieds nus suçant goulûment un oursin pour l'éternité n'est autre que le célèbre général Vandenberg. Héros de la guerre de 1914-1918, après avoir commandé les zouaves d'Algérie quand Picasso venait au monde, il termine sa carrière en 1925 commandeur de la Légion d'honneur et gouverneur du Grand Liban. Retiré dans sa ville natale, il devient ensuite l'un des cinq membres fondateurs de la Société des amis du musée, qui, par leurs souscriptions, permettent à la Ville d'acquérir le château Grimaldi. Cette année-là, Picasso nageait à Juan-les-Pins avec Marie-Thérèse Walter, jeune beauté de dix-sept ans.

La céramique, la sculpture, la gravure et la tapisserie

« Animal emblématique, le taureau est présent dans l'œuvre de Picasso de son enfance à sa mort. Il représente souvent l'artiste, double symbole de l'Espagne et d'une antiquité méditerranéenne qui est la clef de son inspiration. »

Taureau debout, Vallauris, 1949. Sculpture en céramique. Décor peint à l'engobe. Tête en masque et cornes rapportées, 37 × 40 × 30 cm. Photo Marianne Greenwood.

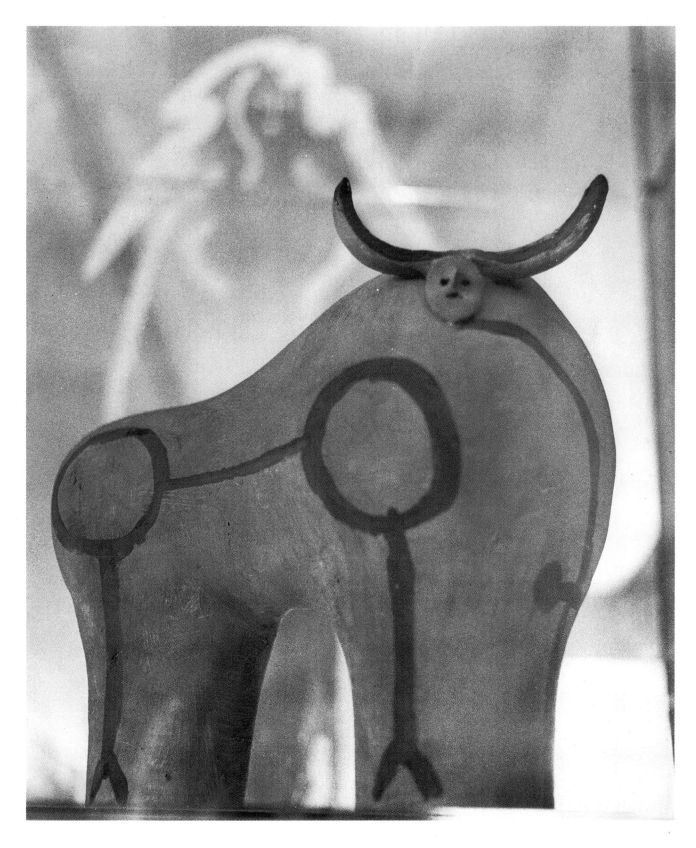

La céramique

Tanagra à l'amphore, Vallauris, 1949. Figurine façonnée au tour et modelée, 45 × 33 × 11 cm.

En août 1948, Picasso ajoute à sa première donation soixante-dix-sept plats, vases, statuettes et animaux de céramique réalisés, au cours des deux étés qui suivirent son séjour à Antibes, à Vallauris, où il s'est installé en famille (Françoise et leurs deux enfants, Claude et Paloma) à la villa La Galloise. La technique de la céramique, découverte à la poterie Madoura, dans l'atelier de

Georges Ramié, où il avait fait des essais l'été précédent, l'intéresse vivement. Picasso est séduit par ce nouveau moyen d'expression qui combine la peinture et la sculpture, les mystères de la cuisson et la souplesse docile de l'argile fraîche. « J'apprends à peindre toute la journée. J'ai même fait, je crois, quelques progrès. Je fais des sculptures peintes », écrit-il à Marie-Thérèse Walter en juin 1948. L'idée de toucher un large public, d'incarner son univers pictural dans des objets usuels, explique peut-être pour une part l'enthousiasme avec lequel Picasso travaille dans cet atelier, au milieu des artisans qu'il stimule par son dynamisme. Mais sa fantaisie inventive fait vite passer au second plan ces préoccupations. D'octobre 1947 à octobre 1948, il réalise près de deux mille pièces, renouvelant l'utilisation d'une pratique traditionnelle. Chouettes, colombes, « tanagras »... naissent ainsi au gré des transformations surprenantes qu'il fait subir à l'argile. On s'attend à une anse, elle est devenue aile ou corne ; un coup de pouce dans la terre fraîche d'un vase, le voici tanagra agenouillée ou tête de condor. Quelques coups de pinceau soulignent avec bonheur une aile, le pli d'une robe, la courbe d'un sein ou d'un bras.

Parfois, Picasso ramasse des débris de céramique, « pignates » provençales ou poêlons, et il s'amuse, aux couleurs des figures noires antiques, à embellir ce tesson d'un décor rapporté qui en change la destination.

« Une cruche, c'est une femme qui a les bras repliés derrière la tête, un hibou devient tout naturellement vase, et rien ne ressemble plus à une femme longiligne, le cou étiré et les bras le long du corps, qu'une bouteille à col fermé... Rien ne résiste à l'œil et à la main de Pablo ; rapidement, il est devenu à la fois l'attraction et l'âme de l'atelier, tous les ouvriers travaillent pour lui et à travers lui, absorbé, passionné par la pièce qu'il modèle ou qu'il tourne, impatient de voir les dernières œuvres sortir du four » (Pierre Cabanne, le Siècle de Picasso).

De la même veine, cent-cinquante de ces œuvres seront exposées à la Maison de la pensée française, à Paris, dès 1949.

La palette aveugle du potier, que la cuisson révèle et transforme, l'intéresse tout autant : incisions, émaillages, engobes, alquifoux, permettent au peintre, selon la nature de la cuisson au feu de bois, de montrer à quel degré ses facultés d'apprentissage sont déterminées par sa capacité à désobéir. Les plats d'Antibes qu'il exécute sont décorés de natures mortes ou de visages de femmes ou de faunes ; les pichets, le plus souvent, sont ornés d'une figure de nu. Nées de l'œuf et du cylindre, les plus grandes pièces deviennent de vrais sculptures animalières, l'un des thèmes les plus chers à l'artiste qui vivait entouré d'animaux.

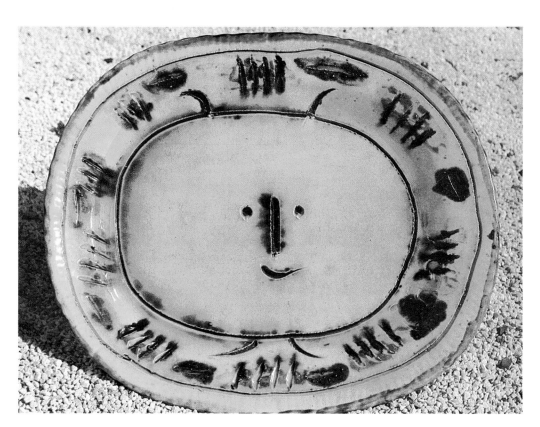

Plat à décor de tête de faune,
Vallauris, 1947, 32 × 38 cm.

Plat à décor de visage souriant,
Vallauris, 1948, 32 × 38 cm.

Plats ovales, décors peints, Vallauris. Les premières céramiques, en 1947, sont, pour la plupart, des peintures sur des plats que préparent les potiers pour Picasso.

Plat à l'aubergine, Vallauris, 1949, 32 × 38 cm.

Plat aux œufs et à la saucisse, Vallauris, 1949, 32 × 38 cm.

55

« L'art n'est jamais chaste, on devrait l'interdire aux ignorants innocents. Ne jamais mettre en contact avec lui ceux qui ne sont pas suffisamment préparés. Oui, l'art est dangereux. Ou, s'il est chaste, ce n'est pas de l'art. »
Picasso cité par Antonina Vallentin.

Le Repos du sculpteur, 1933.
Eau-forte, 19,3 × 26,7 cm.

A gauche : *Nu assis avec peintre et tête sculptée*, 1933. Eau-forte, 26,8 × 19,4 cm.

A droite : *Jeune Sculpteur au travail*, 1933. Eau-forte, 26,7 × 19,4 cm.

Page de droite : *Tête de femme au chignon*, Boisgeloup, 1932. Sculpture originale en ciment, exemplaire unique, 128,5 × 54,5 × 62,5 cm. Don de l'artiste en 1950.

La nouvelle vocation du musée d'Antibes conduit Picasso, dans la période qui suit immédiatement son séjour à Antibes à faire de nouveaux dons importants. En 1950, il offre au musée deux de ses sculptures monumentales en ciment, les deux *Tête de femme* (1931-1932), qui appartiennent à la série d'œuvres réalisées au début des années trente au château de Boisgeloup près de Gisors, dans l'Eure. Picasso avait abandonné la sculpture depuis des années. Profitant de l'espace offert par les écuries qui faisaient face aux bâtiments principaux de la propriété qu'il venait d'acquérir, il réalise secrètement, entre 1930 et 1932, une série de sculptures, montées directement en plâtre, inspirées par le profil parfait de Marie-Thérèse Walter, rencontrée trois ans auparavant. « J'avais dix-sept ans. J'étais une gamine innocente, je ne savais rien, ni de la vie ni de Picasso. Rien. J'avais été faire des courses aux Galeries Lafayette et Picasso m'a vue sortir du métro. Il m'a simplement prise par le bras et m'a dit : "Je suis Picasso ! Vous et moi allons faire de grandes choses ensemble" », racontera-t-elle plus tard. Cette jeune fille, que les biographes et les amis du peintre s'entendent à décrire comme une incarnation de la jeunesse et de l'insouciance, représente alors, pour Picasso, un contraste heureux avec la vie conjugale douloureuse et les conflits de plus en plus fréquents avec Olga.

« Elle était devenue le rêve lumineux de jeunesse — à l'arrière, mais toujours à portée de main — qui avait nourri son œuvre. Elle ne s'intéressait qu'aux sports et n'avait jamais pénétré dans la vie intellectuelle de Pablo... Elle avait un profil grec très pur, toute la série des portraits que Pablo a peints entre 1927 et 1935 lui ressemblaient très exactement », écrira Françoise Gilot. Dans sa peinture, comme dans les gravures de 1933, *l'Atelier du sculpteur* de la suite Vollard qui, justement, représentent son travail transposé dans une mise en scène articulée autour de références antiques, c'est le même visage de jeune femme que l'on retrouve, recomposé au-delà des limites imposées par la ressemblance strictement rétinienne. Brassaï, chargé de photographier les statues

La parabole du sculpteur

« ... Une grande jeune fille très blonde, à la peau claire, au rire frais. Picasso l'avait rencontrée dans la rue et s'était épris aussi bien de sa jeunesse, de son corps sculptural et de sa blondeur que de son tempérament vif et facile à contenter, de son caractère paisible et gai, réfractaire aux tourments imaginaires. Marie-Thérèse Walter est à la fois assez insouciante pour ne pas se demander de quoi l'avenir de leur liaison sera fait et assez raisonnable pour se contenter de la place que peut lui réserver, en marge de sa vie, un homme marié. Marie-Thérèse se contenta de l'ombre que la susceptibilité d'Olga lui assignait, mais elle envahit l'œuvre de Picasso d'une présence triomphante dont toute équivoque sur ses rapports avec lui était bannie. »
Antonina Vallentin.

Page de gauche : les deux *Tête de femme* monumentales offertes par Picasso en 1950, telles qu'elles ont été photographiées par Brassaï dans l'atelier de Boisgeloup en 1933. Au premier plan, la *Tête de femme aux grands yeux*, sculpture originale en ciment, exemplaire unique, 1931, 86 × 32 × 48,5 cm. Derrière, la *Tête de femme au chignon* (voir p. 57).

Marie-Thérèse, le modèle de Boisgeloup, avec sa fille, Maya, en 1933. Photo Pablo Picasso.

L'atelier de sculpture dans l'écurie
de Boisgeloup, 1933.
Photo Brassaï.

Page de droite : Picasso au musée
Grimaldi, 1948.
Photo Denise Colomb.

peuple de sculptures... Je fus surpris par la rondeur de toutes ces formes. C'est qu'une nouvelle femme était entrée dans la vie de Picasso : Marie-Thérèse. Il l'avait rencontrée par hasard, rue La Boétie, et peinte pour la première fois juste un an plus tôt, le 16 décembre 1931, dans *le Fauteuil rouge*. Sa jeunesse, sa gaieté, son rire, sa nature enjouée l'avaient séduit. Il aimait la blondeur de ses cheveux, son teint lumineux, son corps sculptural... Depuis ce jour, toute sa peinture commença à onduler... A aucun moment de sa vie sa peinture ne devint aussi ondoyante, tout en courbes sinueuses, les bras enroulés, les cheveux en volutes... La plupart des statues que j'avais devant moi portaient l'empreinte de ce new-look, à commencer par le grand buste de Marie-Thérèse penchée en avant, la tête presque classique, avec la ligne droite du front reliant sans brisure celle du nez, ligne qui venait envahir toute son œuvre. Dans la série *l'Atelier du sculpteur* que Picasso était en train de graver pour Vollard... figuraient aussi en arrière-plan des têtes monumentales, presque sphériques. Elles n'étaient donc pas imaginaires ! Ma surprise fut grande de les retrouver ici en chair et en os, je veux dire en ronde bosse, tout en courbes, le nez de plus en plus proéminent, les yeux en boule, ressemblant à quelque déesse barbare » (Brassaï, *Conversations avec Picasso*).

faites à Boisgeloup pour un numéro de *Minotaure*, la revue qui venait d'être créée par Breton, donnera une description saisissante de sa découverte : « Curieusement, malgré son penchant inné, Picasso, depuis le verre d'absinthe en 1914, avait presque complètement délaissé la sculpture pendant quinze ans. Il ne l'avait reprise qu'en 1929, dans le plus grand secret... Il ouvrit la porte de l'un de ces grands boxes, et nous pûmes voir, dans leur blancheur éclatante, un

La gravure

Paloma et sa poupée sur fond noir, 1952. Lithographie originale en noir et blanc, 70 × 55 cm.

La Colombe sur fond noir, Vallauris, 1949. Lithographie en noir et blanc, 60 × 73 cm.

Portraits, natures mortes, animaux et bacchanales, la collection des gravures de Picasso du musée d'Antibes reprend — aux oursins près — les thèmes de ses peintures et de ses dessins.

S'y ajoutent des scènes de genre typiques du monde de Picasso : familles de saltimbanques, scènes tauromachiques, et ces quatre images des dernières années où, dans l'atelier, le vieux peintre, mi-clown, mi-sage (Picasso avait quatre-vingt-deux ans), contemple le jeune modèle dans tout l'éclat de sa beauté.

Des épreuves d'une rare qualité, tirées alors à cinquante exemplaires de 1933 à 1963, nous permettent de présenter, dans l'intimité des petites salles d'Antibes, toute la variété des techniques que Picasso affectionne, l'eau-forte, l'aquatinte, la lithographie et, grâce à un don très récent, la linogravure.

Parfois, Picasso entremêle ces techniques, mais aussi, comme le souligne Bernhardt Geiser, « il les élargit d'une façon extraordinaire, y découvrant des possibilités, des manipulations, des ressources restées inemployées jusqu'à lui. En matière de lithographie, il en a été de même, et l'audace de ses trouvailles a conquis l'approbation des gens de métier les plus expérimentés ».

Le musée s'est enrichi récemment (avec l'aide des subventions du FRAM et grâce à l'Association des amis du musée) de huit estampes de la suite Vollard appartenant à la série *l'Atelier du sculpteur*, exactement contemporaine des deux sculptures inspirées par Marie-Thérèse Walter. Elles représentent l'artiste, barbu, à l'antique, couronné de feuilles, en face de son œuvre sculptée, le plus souvent accompagné de son modèle, dans la plénitude sensuelle de sa jeunesse (voir p. 56).

Bacchanale au taureau noir,
Vallauris, 1959. Linogravure
originale en couleurs, 62 × 75 cm.

Cette donation de Louise Leiris est
caractéristique des gravures sur
linoléum exécutées à Vallauris sur
les presses d'Arnéra. Là encore,
Picasso innove en découvrant un
procédé. La plupart des thèmes sont
consacrés au taureau et constituent
des affiches pour les corridas ou les
expositions annuelles de ses amis
potiers.

La tapisserie

Le thème du Minotaure resurgit dans l'œuvre de Picasso en 1933 avec la célèbre couverture de la revue du même nom créée par André Breton, qui publiait les premières reproductions des sculptures de Picasso, photographiées par Brassaï au château de Boisgeloup.

Ce thème est repris, à la suite de la commande d'Ambroise Vollard, son marchand, dans une série d'estampes, la suite Vollard, qui est considérée comme le sommet de son œuvre de graveur, la *Minotauromachie*, conçue à Juan-les-Pins.

Picasso s'y représente lui-même sous les traits puissants d'un Dieu-taureau.

Sa première transcription en tapisserie est exécutée par les Manufactures des Gobelins en 1935.

C'est l'une des pièces les plus précieuses de la donation Cuttoli.

Le Minotaure, dessin, première esquisse pour le papier collé original qui servit de carton à la tapisserie, 1928.

C'est à Marie Cuttoli, amie de toujours de Picasso, grand collectionneur et mécène, que l'on doit la donation des tapisseries du musée. En 1953, Marie Cuttoli (1879-1973) offrit un premier lot acquis de la galerie Leiris, puis, à plusieurs reprises, acheta deux exemplaires, l'un pour elle, l'autre « pour le musée », au titre de présidente de la Société des amis du musée. De sa villa du cap d'Antibes, Shady Rock, où Picasso allait souvent déjeuner avec Dor, Georges Salles, Prévert, Eluard et bien d'autres amis, elle veillait sur le musée et était toujours présente s'il fallait résoudre une difficulté, ou préciser un souvenir : « Picasso avait passé plusieurs jours dans la villa Shady Rock ; il revenait de Ménerbes avec tous ses bagages et l'idée de rester là, sur les instances répétées de madame Cuttoli », se rappelle Jaime Sabartès à qui elle confiait : « Il aurait pu travailler à son aise. Vous connaissez

ma maison. Il avait la mer à sa disposition et tout le silence qu'il pouvait désirer, mais... un jour, il s'en alla au Golfe-Juan. Je ne sais pas comment il a travaillé là-bas, et c'est si petit qu'il peut à peine bouger et en plus de la petitesse et du bruit, c'est si triste. Là, il n'a aucun confort... [c'était chez le graveur Louis Fort]. Je suis allée le voir mille fois, continue-t-elle. Vous ne pouvez pas l'imaginer. C'est incompréhensible. Que voulez-vous, il a toujours été comme ça. On ne saurait pas se fâcher avec lui. Je ne comprends pas comment il peut vivre là-dedans. Figurez-vous que tout est peint chez lui : les murs, l'armoire, la table de nuit, les chaises, le plafond, les fenêtres, les portes, tout... tout. C'est un véritable cauchemar ! Il n'y a que des étoiles et des petites fleurs partout. Savez-vous ce qu'il m'a dit en voyant mon étonnement : "Que voulez-vous, madame Cuttoli, c'est mieux, bien sûr, chez vous et bien plus joli, mais ici il y a partout des vitamines..." »

Marie Cuttoli, qui « avait la passion de l'amitié autant que celle de l'art », a collectionné et a fréquenté les grands artistes du début du siècle, qu'elle a connus dès 1930, galerie Vignon, et qu'elle réunissait dans son salon de la rue de Babylone. Elle a fait tisser, avec leur accord, des tapisseries et des tapis qui furent exposés avec grand succès aux États-Unis et en Europe. Une salle du musée Picasso porte son nom.

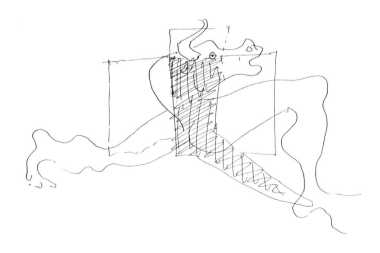

Le Minotaure, 1935. Laine et soie,
Tapisserie des Gobelins,
142 × 237 cm.

« Si on marquait sur une carte tous
les itinéraires par où j'ai passé, et si
on les reliait par un trait, cela figure-
rait peut-être un Minotaure. »
Picasso.

Un musée d'art moderne

« Un arsenal de pétales de
roses sur les cailloux du
nid d'aigle... »
Nicolas de Staël, 1954,
Antibes

Nicolas de Staël, *le Grand Concert*,
1955. Huile sur toile,
350 × 600 cm. Photo Lucarelli.

En haut, à droite : Nicolas de Staël, *Bateaux à Antibes*, 1955. Huile sur toile, 46 × 55 cm.

En haut, à gauche : Nicolas de Staël, *Nature morte au chandelier sur fond bleu*, 1955. Huile sur toile, 89 × 130 cm.

En bas : Nicolas de Staël, *le Fort-Carré*, 1955. Huile sur toile, 114 × 195 cm.

Nicolas de Staël a une place particulière au musée, en raison de la présence de ses dernières toiles, et du rôle de la ville d'Antibes dans son destin personnel.

En 1954, Nicolas de Staël loue à Antibes un atelier voisin du musée, sur les remparts, donnant sur la mer et le Fort-Vauban. La Méditerranée avait déjà attiré cet homme du Nord, fils d'un aristocrate balte, officier de l'armée du tsar. Il avait déjà séjourné sur la Côte, et voyagé en Espagne, en Italie, au Maroc. A partir des années cinquante, la lumière, la couleur et les paysages méditerranéens exercent sur lui une réelle fascination. « J'aiguise mes yeux au silex du Midi », écrit-il.

Dor de la Souchère lui propose d'organiser une exposition dans l'atelier du deuxième étage, qui fut celui de Picasso. Pendant six mois, de septembre 1954 à mars 1955, il s'isole et réalise trois-cent-cinquante-quatre peintures à l'huile. Ses lettres nous font partager ses difficultés, et l'alternance d'enthousiasme et de découragement soudains dans lesquels il travaille malgré les visites de quelques amis, Jean Bauret son confident, Douglas Cooper, Jacques Dubourg, Pierre Lecuire... « Ni prison, ni séjour balnéaire, les deux pourtant, je ne sais comment », dira-t-il de la ville où il arrive à la fin de l'automne, notant aussi, « dans l'ensemble, cela me fait du bien, Antibes ».

Au terme d'un itinéraire qui l'a conduit de l'abstraction à la tentation d'un équilibre reconquis sur le réel, il travaille dans une liberté d'expression dont l'ampleur le porte au bord du vertige. « Ce que j'essaie, c'est un renouvellement continu, et ce n'est pas facile. Ma peinture, je sais ce qu'elle est sous ses apparences, sa violence, ses perpétuels jeux de force. C'est une chose fragile dans le sens du bon, du sublime... Lorsque je me rue sur une toile de grand format, lorsqu'elle devient bonne, je sens toujours atrocement une trop grande part de hasard, comme un vertige, une chance dans la force qui garde, malgré tout son visage de chance, son côté virtuosité à rebours, et cela me met dans des états lamentables de découragement », écrit-il dans une lettre de 1954. Équilibre fragile et toujours menacé. « Trop près ou trop loin du sujet, je ne veux être systématiquement ni l'un, ni l'autre et avec cela, l'obsession j'y tiens parce que sans obsession je ne ferai rien, mais l'obses-

Nicolas de Staël dans son atelier, rue Gauguet, à Paris, 1954. Photo Denise Colomb.

sion du rêve ou l'obsession directe, je ne sais ce qui vaut le mieux et je m'en fous, tout compte fait, pourvu que cela s'équilibre comme cela peut, de préférence sans équilibre. »

La production de cette période est considérable : dans l'atelier, les natures mortes très simples aux bouteilles, au poêlon, au pain, au chandelier. Depuis la terrasse, sont peintes les marines dans l'étrange lumière blanche de l'hiver et les vues construites du Fort-Carré, derrière le premier plan vertical des mâts du port ; les nus ou les natures mortes sont brossés à l'intérieur.

« Si le vertige auquel je tiens comme à un attribut de ma qualité virait doucement vers plus de concision, plus de liberté hors du harcèlement, on aurait un jour plus clair. »
Nicolas de Staël à Jean Dubourg, 1954.

« L'espace pictural est un mur, mais tous les oiseaux du monde y volent librement. A toutes profondeurs. »
Nicolas de Staël à Jean Dubourg, 1954.

« Staël a peint. Et s'il a gagné de son plein gré le dur repos, il nous a dotés, nous, de l'inespéré qui ne doit rien à l'espoir. »
René Char.

En même temps qu'elle se dématérialise par l'utilisation de nouveaux outils, brosses de soie, tampons de coton, sa peinture se décante. « Il descend à jet continu des tableaux uniques avec la même sûreté qu'un fleuve qui coule vers la mer, dense, (...) et toujours sobre. » Le 5 mars, un court voyage à Paris pour un concert du Domaine musical dédié à Anton Webern interrompt son ascèse. Sur le programme, il note : « Violons rouges, rouges/ocre. » Quelques jours après, il commence une toile de trois mètres sur six destinée à son exposition d'été à Antibes, *le Grand Concert*. Le 15 mars, il tente de mettre fin à sa vie, « comme un acte de l'esprit, en quelque sorte inoffensif, en toute bonté pour l'humanité ». Le lendemain, après avoir écrit à sa famille, il se précipite dans le vide depuis la terrasse de son atelier. *Le Grand Concert* reste partiellement inachevé. Trois mois plus tard, le musée Picasso présente la première rétrospective du peintre, particulièrement émouvante. A cette occasion, Françoise de Staël offre au musée *la Nature morte bleue*.

A partir de 1982, la ville acquiert les *Bateaux à Antibes*, puis *le Fort-Carré*, grâce à l'aide de l'État, et leurs trois dessins préparatoires. *Le Grand Concert*, d'abord laissé en dépôt par sa famille, accroché sur le mur auquel l'artiste le destinait, est acquis en 1987 par le musée grâce au mécénat privé, aux

Page de gauche, en haut : Germaine Richier, *la Grande Spirale*, 1956, sur la terrasse du musée, devant trois autres bronzes de l'artiste : *la Vierge folle*, 1946, *le Grain*, 1955, et *la Feuille*, 1948.
Photo Lucarelli.

Page de gauche, en bas : Germaine Richier, *le Tombeau de l'orage*, 1956. Pierre des Flandres, 162 × 42 × 32 cm.
Photo Lucarelli.

Germaine Richier, *la Feuille*, 1948. Bronze, 145 × 32 × 15 cm.
Photo Lucarelli.

fonds réunis par le ministère de la Culture, la Ville et la Région. Ces œuvres sont désormais présentées en permanence au rez-de-chaussée ; *le Grand Concert*, dans l'atelier de Picasso, ne quitte plus son mur.

Germaine Richier est aussi l'un des artistes auquel le musée d'Antibes consacre une place importante. Sept œuvres y sont présentées en permanence dans le jardin de Sculptures et de Parfums dont *l'Ombre de l'ouragane* et *le Tombeau de l'orage*, deux sculptures en pierre, exceptionnelles dans son œuvre, exécutées en 1956. Offert par l'artiste lors de son exposition, et après sa mort, par sa famille, cet ensemble a été récemment complété par l'acquisition de *la Grande Spirale* (1956).

1. Yves Klein, *la Vénus bleue*, 1970, 63 × 23 × 22 cm.

2. César, *le Centaure*, 1983. Sculpture en bronze et plâtre, socle en fer, 74 × 62 × 30 cm.

3. Hans Hartung, sans titre, 1979. Peinture acrylique sur toile, 142 × 180 cm.

4. Francis Picabia, *Autoportrait de dos avec femme enlacée et masque*, 1937. Huile sur carton, 62 × 45 cm.

5. Bernard Pagès, *la Colonne d'Antibes*, 1983-1984. Briques, ciment coloré et pierres du musée, 310 × 125 × 105 cm.

6. Max Ernst, *Loplop présente un ami*, 1929-1968. Peinture en relief, huile sur plâtre modelé et collage sur bois, 103 × 120 × 5 cm.

7. Fernand Léger, *Nature morte à l'aloès*, 1935. Huile sur toile, 90 × 130 cm.

8. Joan Miró, *la Déesse de la mer*, 1968. Grès émaillé en deux pièces sur un socle de ciment incrusté de bronze, 182 × 32 × 60 cm.

9. Jacques Prévert, *Arlequin et caïman, le cirque*, 1963. Collage d'un crocodile et d'un arlequin sur une photo de *la Main*, d'André Villers, 40 × 30,4 cm.

10. Alberto Magnelli, *Femme à l'enfant*, 1914. Huile sur toile, 70 × 55 cm.

Les hommages à Picasso et les nouvelles acquisitions

Depuis 1948, le musée s'est enrichi d'une série de donations d'artistes, qui après leur exposition lèguent une de leurs œuvres : Atlan, Ernst, Léger, Magnelli, Calder, Prassinos, Clavé, Debré, Prévert, avant la mort du premier conservateur, puis Arman, César, Raysse, Folon, Staël, Hartung, Bergman, Pignon, Clavé.

La réalisation du programme d'acquisitions mis en œuvre depuis 1981 et d'autres dons (Modigliani, Miró, Picabia) permettent au musée de présenter un panorama ouvert de l'art contemporain, dont la caractéristique est le lien de la plupart des artistes présentés avec le Midi. Un autre lien entre l'art d'aujourd'hui et celui qui fut, durant les soixante-quinze premières années de ce siècle, l'un des grands fondateurs de l'art moderne a été établi de manière plus volontariste. La commande passée à quinze artistes en 1983, pour le dixième anniversaire de sa mort, sur le thème de « l'Hommage à Picasso », et qui comprend aujourd'hui vingt et une œuvres, a créé une suite thématique homogène. Les peintures d'Adami, Alechinsky, Bioulès, Equipo Cronica, Erro,

Folon, Messagier, David Hockney, Renato Guttuso, Pignon, Raysse, Saura, Cane, Viallat, Le Brocquy, Jaccard, Clavé, les sculptures d'Arman et de César, créent un ensemble présenté en permanence. Le regard que ces artistes portent sur Picasso, « visité et revisité », selon Saura, rappelle ainsi la démarche du peintre qui « prenait tout ce qui lui convenait dans le passé, le présent et son futur, connaissant les maîtres d'antan, et savait leur arracher une courbe, un sujet, une vision », et dans l'amalgame digéré, « c'est toujours Picasso qui réapparaît », comme le souligne Arman. Ainsi le château Grimaldi tisse étroitement son architecture et les œuvres qu'il présente. Sur la terrasse, dominée par la tour Sarrazine, édifiée grâce aux pierres romaines du *castrum*, *Jupiter et Encelade* d'Anne et Patrick Poirier mêle à son éboulis de marbre blanc quelques vestiges romains. *La Colonne d'Antibes* de Bernard Pagès, reprend l'appareillage de briques et de pierres du château, lien optique entre les deux tours jumelles qui dominent la vieille ville. A ces commandes récentes s'ajoutent une céramique d'Amado et *la Déesse de la mer* de Miró les complètent, au cœur du jardin de Parfums. Un linteau de pierre, *la Table d'airain*, vestige d'un mausolée romain, déposé en 1845, invite le voyageur (« *Viator, audi si libet...* »). Quelques cippes subsistent, traces du premier musée d'archéologie.

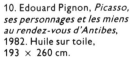

1. Valerio Adami, *Picasso et la femme néo-classique*, 1981-1982. Peinture acrylique sur toile, 198 × 147 cm.

2. Pierre Alechinsky, *Grain de Malaga*, 1981-1982. Peinture à l'encre sur carte de navigation, 145 × 145 cm.

3. Jean Atlan, *l'Oiseau de feu*, 1956. Huile sur toile, 129 × 81 cm.

4. Anne et Patrick Poirier, *Jupiter et Encelade*, 1982-1983. Eboulis en marbre de Carrare, éléments architecturaux fragmentaires et deux grands blocs taillés aux yeux de géants.

5. Martial Raysse, *Dyonisos*, 1975. Collage, tempera et pastel sur papier marouflé, 70 × 120 cm.

6. Antonio Saura, *Portrait révisé de Dora Maar*, 1983. Acrylique et huile sur toile, 162 × 130 cm.

7. Vincent Bioulès, *Pêche de jour à Saint-Tropez, ex-voto*, 1983. Huile sur toile, 130 × 162 cm.

8. Jean Messagier, *Picasso aurait dû pêcher à Antibes avec les marsupilamis et Betty Boop*, 1982. Peinture vinylique sur toile, 200 × 300 cm.

9. Arman, *A ma jolie*, 1982. Bronze, 225 × 150 × 140 cm.

10. Edouard Pignon, *Picasso, ses personnages et les miens au rendez-vous d'Antibes*, 1982. Huile sur toile, 193 × 260 cm.

Au temps de l'enfant Septentrion

« Il existe une querelle de
ménage entre le château
d'Antibes et le musée
Grimaldi. C'était fatal.
L'intrusion du musée dans
le château crée un
équilibre difficile et
toujours menacé. »
Dor de la Souchère, 1962.

*Epitaphe d'une femme, inscrite en
application d'un testament.*
IIe siècle apr. J.-C.
Bloc scellé dans la tour du château
Grimaldi.

Spécialisé dans l'art contemporain depuis l'ouverture du musée Picasso en 1948, le château Grimaldi abrite aussi une collection archéologique, vestige de son passé de *castrum* romain et de la première destination de ce bâtiment en 1925 comme musée d'archéologie et d'histoire. Cette collection est composée, pour l'essentiel, de monuments funéraires et d'un petit mobilier de céramiques.

Quelques grandes pièces et des moulages ont été mis en dépôt au musée archéologique du bastion Saint-André. Le Musée naval et napoléonien, la Fondation Eilen-Roc, présentent, pour leur part, des collections longtemps entreposées dans les réserves du musée Picasso : vestiges archéologiques, armes et souvenirs napoléoniens et peintures du XIXe siècle.

Ont été conservées dans le musée Picasso les pièces auxquelles Dor avait attribué une place d'exposition, et notamment celles que Picasso avait choisies pour côtoyer ses propres œuvres. Compte tenu de l'importance des collections de céramiques offertes par Picasso en 1949 et tournées à Vallauris, une place a été réservée à un rare ensemble de *grandes fontaines* et de *jarres en faïence de Biot* réalisées aux

XVIIIᵉ et XIXᵉ siècles (poteries Augé-Laribél, qui présentent ainsi une autre étape de la permanence de l'art de la terre des amphores antiques à la *Bourrache* de Picasso.

1. *Stèle de l'enfant Septentrion.* Date probable : IIᵉ siècle apr. J.-C., 113 × 74 × 25 cm.
« Aux Dieux Mânes de l'esclave-enfant Septentrion, âgé de douze ans, qui, sur le théâtre à Antibes, a dansé et a plu deux jours. »
La première œuvre importante, qui, grâce à Dor de la Souchère, entra au musée d'Antibes en 1930.

2. *Pierre des trois sexes.* Provenance inconnue, 45,5 × 55,5 × 17 cm.
L'inscription érotique, à caractère prophylactique, est diversement interprétée.
« Tinte fort, gros méchant, toi aussi.
« Que vous soyez protégé du mauvais œil.
« Que tout se passe aussi bien pour vous. »

3. *Pierre de Raiela.* Inscription funéraire, IIIᵉ siècle ?, 47,5 × 56 × 13,5 cm.
L'inscription provient du Castellaras de Mougins où elle était encastrée dans un mur, à côté d'une chapelle antique. « Aux Dieux Mânes, Passant, regarde, je t'en prie, cette inscription et tu pleureras ! Combien prématurément j'ai été enlevé par la mort, à trente ans ; la douce lumière de la vie m'a été ravie, et de toute ma famille, seul, sans enfant, j'ai vécu malheureux, et ma pauvre mère m'a pleuré, privée des honneurs de la piété filiale. A Quintus Luccunius Verus, son fils bien-aimé, sa mère Raiela Secundina a élevé (ce tombeau). »

Le portail du patio vers le jardin de
Sculptures.
Photo Cuchi White.

Vue du jardin, de sculptures et de parfums. Photo Lucarelli.

Il est des lieux, abandonnés là comme un coquillage sur une grève, dont la magie passive réside dans le fait d'être à un moment dépossédés de toute destination. Tel devait être le Palais Grimaldi quand il séduisit Dor de la Souchère. Il revenait à l'étrange magicien que fut Picasso, inspiré par cette vacuité que renforçait peut-être son charme de musée provincial, de transformer ce château médiéval au style incertain en atelier où purent se donner libre cours sa puissance à transformer, selon l'humeur du moment, la réalité perçue, mythique ou sentimentale d'un lieu privilégié. Il revenait à Dor de la Souchère, l'initiateur de cette première transformation, de com-

prendre l'intérêt à maintenir la confrontation, là où elle se produisit, entre une œuvre et l'environnement qui l'inspira. Il restait et il reste à élargir cette confrontation en l'animant à partir des trois composantes : Picasso et Antibes, Picasso et les artistes d'aujourd'hui, le château Grimaldi et l'art moderne, selon toutes les combinatoires qu'elles autorisent.

Bibliographie

La donation Picasso (Antibes 1981-1987)

L'œuvre de Picasso à Antibes est reproduite intégralement dans une collection de six catalogues établis par Danièle Giraudy, conservateur du musée Picasso. Ils sont édités par la Ville d'Antibes (2e édition en cours de réimpression pour les nos 1 à 4).

1. *L'Œuvre de Picasso à Antibes*, catalogue raisonné des peintures, dessins, sculptures, céramiques et tapisseries conservés au musée Picasso. Préface de Pierre Merli, introduction de Pierre Quoniam. 136 pages, 190 reproductions dont 65 en couleurs (1981).

2. *L'Œuvre de Picasso à Antibes*, exposition du Centenaire : Antibes, Juan-les-Pins, Golfe-Juan de 1920 à 1946. 24 pages, 29 reproductions dont 1 en couleurs (1981).

3. *L'Œuvre de Picasso à Antibes*, catalogue raisonné des gravures conservées au musée Picasso. Préface de Pierre Merli. 64 pages, 50 reproductions dont 1 en couleurs (1982).

4. *A travers Picasso*, contribution à l'étude scientifique de la technique de l'artiste, en collaboration avec le Laboratoire des Musées de France. Préface de Pierre Merli, textes de Madeleine Hours, Christian Lahanier, Suzy Delbourgo, Danièle Giraudy. 96 pages, 116 reproductions dont 47 en couleurs (1982).

5. *« Bonjour Monsieur Picasso »*, treize commandes pour commémorer le Xe anniversaire de la mort de Picasso : Adami, Alechinsky, Arman, Bioulès, César, Equipo Cronica, Erro, Folon, Guttuso, Messagier, Pignon, Raysse, Saura. 56 pages, 53 reproductions dont 15 en couleurs (1983).

6. *Picasso/tête à tête, la Parabole du sculpteur*, exposition-dossier autour des deux sculptures monumentales du musée. Préface de Pierre Merli. 40 pages, 28 reproductions dont 4 en couleurs (1984).

Du même auteur : *Picasso, la mémoire du regard*, Le Cercle d'Art, Paris, 1986. 313 pages, 218 reproductions.

Les collections d'art contemporain du musée d'Antibes

7. *Catalogue raisonné du fonds d'art moderne du musée*, établi par Danièle Giraudy, édité par la Ville d'Antibes. Préface de Pierre Merli, textes d'André Chastagnol, de Georges Boudaille et de Georges Vindry. Introduction et historique de Danièle Giraudy. Index des artistes et des œuvres. 176 pages, 355 reproductions dont 106 en couleurs (1987).

Vue générale de la façade.